# Juliette

## À NEW YORK

D'après le roman de **Rose-Line Brasset**
Scénario de **Lisette Morival**
Dessin et couleurs de **Émilie Decrock**

Hurtubise

## AVANT-PROPOS

Bienvenue dans l'univers coloré de Juliette Bérubé, une adolescente qui suit sa mère journaliste autour du monde. Au fil de ses aventures, vous trouverez certaines phrases en anglais, langue du pays visité.

Ces phrases sont suivies d'un astérisque et traduites en bas de page.

Nous vous souhaitons un agréable moment de lecture !

**LES AUTEURES**

Se voir proposer l'adaptation de son roman en BD est un honneur, mais celui-ci s'est transformé en pur bonheur et ravissement lorsque j'ai pris connaissance du formidable talent d'Émilie Decrock et de Lisette Morival. Mes remerciements les plus chaleureux à toutes les deux ainsi qu'à toutes les merveilleuses personnes qui, de près ou de loin, ont travaillé sur ce projet.

*Rose-Line Brasset*

Rose-Line et Lisette, merci pour le partage de votre talent et pour votre confiance. Merci à Kennes pour son soutien et sa patience, à Marjorie pour avoir été le point de départ de cette fabuleuse aventure, et bien sûr merci à ma moitié et à mes proches qui ont partagé tout cela avec moi !

À Jeanne, Rémi et Martin.

*Émilie Decrock*

Cette bande dessinée n'est pas seulement l'histoire de Juliette, c'est aussi celle d'une belle histoire d'amitié entre ses trois « mamans ». Merci à la talentueuse Rose-Line, ma sœur de plume, d'avoir accepté de me confier son merveilleux univers. Un cadeau sans prix ! Et merci à la grande artiste Émilie pour cette mise en vie si douce, si détaillée et surtout si réussie !

*Lisette Morival*

Les Éditions Hurtubise bénéficient du soutien financier du gouvernement du Québec par l'entremise du programme de crédit d'impôt pour l'édition de livres et de la Société de développement des entreprises culturelles du Québec (SODEC). L'éditeur remercie également le Conseil des arts du Canada de l'aide accordée à son programme de publication.

Financé par le gouvernement du Canada | Canadä

ISBN : 978-2-89723-870-4 (version imprimée)
ISBN : 978-2-89723-871-1 (version PDF)

Dépôt légal : 4e trimestre 2017
Bibliothèque et Archives nationales du Québec
Bibliothèque et Archives Canada

Diffusion-distribution au Canada :
Distribution HMH
1815, avenue De Lorimier
Montréal (Québec) H2K 3W6
www.distributionhmh.com

*Imprimé au Canada*
**www.editionshurtubise.com**

5

# Jour 1. 1er avril.

**PROGRAMME : TIMES SQUARE - BROADWAY**

J'ai adoré Times Square ! Un carrefour extraordinaire avec des milliers de piétons. C'est magique, toutes ces enseignes lumineuses et ces écrans GÉANTS !

**ONE WAY**

← 42e Rue.
C'est là que j'ai rencontré le petit Troy et ses frères. Des super danseurs !

☺☺☺ !Trop c☺☺☺☺☺!

Le chemin qu'on a fait à pied de l'hôtel à Broadway

(= MES PIEDS SONT EN FEU !)

Pour que je m'y retrouve : dans le sens vertical (sud-nord), les artères sont des avenues, de la 1re Avenue à la 12e Avenue ; dans le sens horizontal (est-ouest), ce sont des rues. Manhattan est séparé en deux, on parle de Downtown (ville du bas) au sud de la 14e Rue, et de Uptown (ville du haut), au nord de la 59e Rue. Entre les deux, c'est Midtown. Facile ! Il y a des exceptions, comme Broadway, qui a adopté la diagonale plutôt que la verticale ! Pourquoi il y a toujours des exceptions à tout ?

**KinkyBoots**
**NEWSIES**
**CABARET**
**Once**
**WICKED**
**BROADWAY** AT THE MARCUS CENTER
**2015-16 BROADWAY SEASON**

## he New

NEW YORK, WEDNESDAY,

Au Times Square Visitor's Center, j'ai eu la liste des spectacles fabuleux qui se jouent à Broadway. Il y en a au moins une dizaine. Ils attirent tous les touristes !

TUUUT TUT TUT TUT

**TAXI**

UNITED STATES OF AMERICA · 1 OZ. FINE SILVER · ONE

Les taxis jaunes. C'est marrant (ou fatigant !), ils klaxonnent tout le temps.

**MANHATTAN'S Hot Dog**

MON 1er HOT-DOG NEW-YORKAIS !

DÉLICIEUX !

Je n'ai pas pris de chou, ça sent mauvais. (Maman adore !)

C'est un boucher d'origine allemande du nom de Charles Feltman qui a lancé la mode en ouvrant un premier restaurant de hot-dogs à Brooklyn, en 1871.

(Merci, maman, pour l'info.)

THE WORLD'S LARGEST STORE

ABSOLUMENT! REGARDE, NOUS SOMMES JUSTE À CÔTÉ DE MACY'S : LA CAVERNE D'ALI BABA DES FANATIQUES DE MAGASINAGE.

HIP, HIP, HIP, HOURRA!

ÉVIDEMMENT, MAMAN SE PRÉCIPITE AU RAYON CHAUSSURES.

HEY! T'AS VU CELLES-LÀ?

OH! ET CELLES-CI?

JE CRAQUE POUR LES ROUGES.

NOTRE BUDGET VA ÊTRE ENGLOUTI. MISÈRE!

I'M SORRY, I DIDN'T REALLY FIND WHAT I WAS LOOKING FOR...*

PFFF!

TU N'ACHÈTES RIEN, FINALEMENT?

BIEN SÛR QUE NON! JE VOULAIS SIMPLEMENT SENTIR L'EFFET QUE ÇA FAIT DE POSSÉDER AUTANT DE CHAUSSURES!

TOI, TU PEUX CHOISIR UNE PAIRE D'ESPADRILLES, ET ENSUITE, ON FILE À L'EMPIRE STATE BUILDING... EN COURANT.

OH! MERCIII!

SI TU M'ACHÈTES DES CONVERSE ROSES, JE COURS OÙ TU VEUX!

J'AI DÉJÀ VU CET IMMEUBLE! C'EST CELUI SUR LEQUEL GRIMPE KING KONG, LE GORILLE GÉANT DU FILM AVEC JACK BLACK!

EXACT! ET TOI AUSSI, TU VAS MONTER TOUT EN HAUT... MAIS EN ASCENSEUR.

ON VA AU 102ᴱ ÉTAGE, OÙ NOUS POURRONS SORTIR À L'EXTÉRIEUR.

ALLUME TON IPAD, PUCETTE, CE SERA MIEUX QU'UN GUIDE.

102! WOW, JE VAIS AVOIR LE VERTIGE!

* DÉSOLÉE, JE N'AI PAS TROUVÉ CE QUE JE CHERCHAIS.

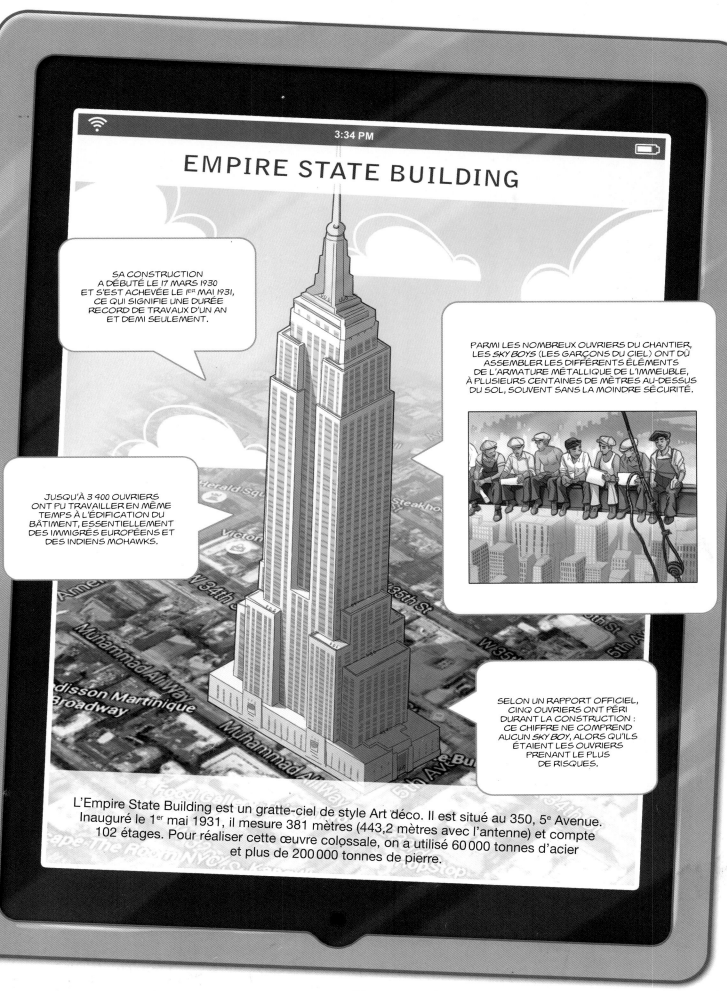

# EMPIRE STATE BUILDING

SA CONSTRUCTION A DÉBUTÉ LE 17 MARS 1930 ET S'EST ACHEVÉE LE 1ᵉʳ MAI 1931, CE QUI SIGNIFIE UNE DURÉE RECORD DE TRAVAUX D'UN AN ET DEMI SEULEMENT.

PARMI LES NOMBREUX OUVRIERS DU CHANTIER, LES *SKY BOYS* (LES GARÇONS DU CIEL) ONT DÛ ASSEMBLER LES DIFFÉRENTS ÉLÉMENTS DE L'ARMATURE MÉTALLIQUE DE L'IMMEUBLE, À PLUSIEURS CENTAINES DE MÈTRES AU-DESSUS DU SOL, SOUVENT SANS LA MOINDRE SÉCURITÉ.

JUSQU'À 3 400 OUVRIERS ONT PU TRAVAILLER EN MÊME TEMPS À L'ÉDIFICATION DU BÂTIMENT, ESSENTIELLEMENT DES IMMIGRÉS EUROPÉENS ET DES INDIENS MOHAWKS.

SELON UN RAPPORT OFFICIEL, CINQ OUVRIERS ONT PÉRI DURANT LA CONSTRUCTION : CE CHIFFRE NE COMPREND AUCUN *SKY BOY*, ALORS QU'ILS ÉTAIENT LES OUVRIERS PRENANT LE PLUS DE RISQUES.

L'Empire State Building est un gratte-ciel de style Art déco. Il est situé au 350, 5ᵉ Avenue. Inauguré le 1ᵉʳ mai 1931, il mesure 381 mètres (443,2 mètres avec l'antenne) et compte 102 étages. Pour réaliser cette œuvre colossale, on a utilisé 60 000 tonnes d'acier et plus de 200 000 tonnes de pierre.

17

TROY, COME HERE ! NE PLEURE PAS. ALLEZ, C'EST PAS GRAVE. ON VA SE DÉBROUILLER.

AU REVOIR.

AU REVOIR. SNIF !

PAUVRES GARÇONS, ILS SEMBLENT VRAIMENT AVOIR DES PROBLÈMES D'ARGENT.

EN TOUT CAS, IL Y EN A UN QUI N'A PAS DE PROBLÈME DE VUE. IL VEUT MA PHOTO OU QUOI ?

IL EST TEMPS DE RENTRER, JE SUIS FATIGUÉE.

OUF ! JE M'ALLONGE UN MOMENT ET JE FAIS MON SCRAPBOOK, OK ?

TOC TOC TOC

I AM COMING !

MADAME BÉRUBÉ, VOICI CAROLINE, MON AMIE.

ENCHANTÉE. VOICI JULIETTE.

BONJOUR, JE VOULAIS JUSTE FAIRE CONNAISSANCE AVEC VOTRE FILLE.

VOUS ÊTES CERTAINES DE VOULOIR LA PRENDRE AVEC VOUS DEMAIN ?

ABSOLUMENT ! ON PASSERA VERS 9 H POUR ALLER À CENTRAL PARK.

C'EST OK POUR TOI ?

SUPER CONTENTE !

DEMAIN, J'AI SIX MUSÉES À VISITER. TU POURRAS TE DÉBROUILLER AVEC LES FILLES, TOUTE LA JOURNÉE ?

J'EN SUIS CERTAINE, MAMAN. NE T'EN FAIS SURTOUT PAS.

N'OUBLIE PAS QU'IL Y A HUIT MILLIONS D'HABITANTS À NEW YORK, DONT UNE CERTAINE PROPORTION EST CONSTITUÉE DE MALADES ET DE KIDNAPPEURS. BLA BLA BLA...

ET VOILÀ, C'EST REPARTI POUR LES CONSIGNES DE SÉCURITÉ.

# Jour 2. 2 avril.

Dans la gare Grand Central Terminal, j'ai vu l'horloge que j'avais repérée dans le film Madagascar, quand les animaux prennent le train. C'est aussi l'endroit où se battent les super-héros du film Avengers.

La belle horloge à quatre faces.

WOW, UN LIEU MAGIQUE !
Et le plafond étoilé est une vraie merveille.

☺☺☺!! Trop c

☺☺☺!!

GRAND CENTRAL TERMINAL

Salle de lecture de la New York Public Library !
On se croirait dans un film de Harry Potter, dans la salle d'étude de Gryffondor.
Hyper silencieux et impressionnant.
C'est gratuit et il y a le wi-fi.
C'est trop cool !

CHHUUT

J'ai embrassé la statue de cire de Justin Bieber au musée Tussaud.
Trop hot ! Maman s'est prise en photo avec Barack Obama. Drôle d'idée !
Faut absolument que je revienne avec Gina !

Mon ticket d'entrée.

Madame Tussauds
NEW YORK

Ticket

I LOVE NEW YORK,
I LOVE THE BIG APPLE,
(la grosse pomme),
comme ils l'appellent ici !

NEW YORK CITY

Je suis montée au 102e étage de l'Empire State Building. Trop fière !
Et je me suis fait fabriquer une médaille souvenir avec une pièce d'un cent aplatie dans une machine.

Adult

EMPIRE STATE BUILDING
OBSERVATORY         The Real Magic. The Real New York

NEW816 439738
Subject to early closure
due to customer volume.
Good For 1 Admission
Tickets are Non-Refundable

Ticket expires
2 Years From
date printed.

13112041038147

22

ÇA TE DIRAIT DE VISITER DEUX OU TROIS APPARTEMENTS AVEC NOUS ?

J'AI RELEVÉ DES ANNONCES SUR LE TABLEAU DE LA JUILLIARD SCHOOL.

ON A SÉLECTIONNÉ DES STUDIOS DANS L'UPPER WEST SIDE, PRÈS DE L'ÉCOLE.

OK, ON REND LES VÉLOS ET ON Y VA.

OUI, BIEN SÛR. C'EST L'FUN COMME FAÇON DE VISITER NEW YORK. ET J'AVOUE QUE JE SUIS UN PEU FATIGUÉE DE PÉDALER, LÀ...

58TH STREET.

C'EST LÀ. C'EST UN CHOUETTE QUARTIER !

WHAT DO YOU WANT ?

WE ARE HERE FOR THE APARTMENT FOR RENT.

THE APARTMENT IS ALREADY RENTED !

BLAM

L'APPARTEMENT EST DÉJÀ LOUÉ ? ZUT !

DEUX RUES PLUS LOIN.

TOO LATE.

OH NON ! NOUS AVIONS TANT BESOIN DE CE LOGEMENT !

ENCORE PLUS LOIN.

PFFF ! SI ÇA CONTINUE, ON VA DEVOIR RESTER À L'HÔTEL.

Rented

ET NOUS N'AURONS PLUS ASSEZ D'ARGENT POUR ACHEVER LE STAGE DE DANSE.

IL VA FALLOIR VISITER D'AUTRES QUARTIERS. SI ON PASSAIT À L'ÉCOLE POUR VOIR S'IL Y A DE NOUVELLES ANNONCES ?

ÇA TE DIT, JULIETTE ?

SUBWAY

OUI !

24

ON RENTRE, LES FILLES ?

OK !

ON TÉLÉPHONERA DEPUIS LA CHAMBRE POUR PRENDRE DES RENDEZ-VOUS POUR DEMAIN.

À L'HÔTEL.

MAMAN N'EST PAS RENTRÉE.

JE PENSE QUE JE VAIS ESSAYER D'APPELER GINO...

HELLO, GINO !

HÉ ! SALUT, JULIETTE ! ÇA FAIT PLAISIR DE TE VOIR. RACONTE-MOI TOUT.

DES TONNES DE CONFIDENCES PLUS TARD...

ÇA FAIT DRÔLE QUE TU NE SOIS JAMAIS LÀ PENDANT LES VACANCES.

ON POURRAIT FAIRE PLUS DE CHOSES ENSEMBLE SI ON SE VOYAIT PLUS SOUVENT...

OMG ! IL VOUDRAIT ME VOIR PLUS. JE CRAQUE !

T'ES TOUJOURS LÀ ? TU DIS RIEN ?

EUH ! OUI, MOI AUSSI, J'AIMERAIS ÇA, PASSER PLUS DU TEMPS AVEC TOI...

DÉSOLÉE DU RETARD ! JE REVIENS D'ELLIS ISLAND, PRÈS DE LA STATUE DE LA LIBERTÉ. C'ÉTAIT FANTASTIQUE !

JE DOIS TE LAISSER, BYE !

REGARDE LES CARTES QUE J'AI ACHETÉES. C'EST LÀ QU'ONT TRANSITÉ PLUS DE 17 MILLIONS D'IMMIGRANTS À LEUR ARRIVÉE EN AMÉRIQUE, ENTRE 1892 ET 1954.

TOUT LE MONDE DEVAIT PASSER UN EXAMEN MÉDICAL AVANT D'ÊTRE ADMIS AU PAYS.

TU TE RENDS COMPTE QUE CERTAINES DE CES PERSONNES ONT DÛ REPARTIR D'OÙ ELLES ÉTAIENT VENUES SANS POSER LE PIED SUR LE CONTINENT ?

CHINATOWN, LE QUARTIER CHINOIS.

C'EST FOU, ON SE CROIRAIT VRAIMENT EN CHINE. Y A DES CHINOIS PARTOUT!

ICI, TOUT EST FAUX OU PRESQUE. ON TROUVE DES IMITATIONS DE ROLEX, DE PRADA ET MÊME DE CHANEL.

OH, MAMAN! DES COPIES DE SACS À MAIN LOUIS VUITTON À DES PRIX MINUSCULES!

JE PEUX EN AVOIR CINQ AU PRIX D'UN MINI PORTE-MONNAIE À QUÉBEC!

JE N'ACHÈTE PAS DE CONTRE-FAÇON, PUCETTE.

CHINATOWN GIFT CENTER
WHOLESALE & RETAIL

JE RIGOLE. C'EST COMME TOI AVEC LES CHAUSSURES. JE VOULAIS JUSTE SAVOIR L'EFFET QUE ÇA FAIT!

ALLEZ, JE T'OFFRE UN PORTE-CLÉ 100 % ORIGINAL, ÇA TE VA?

PRENDS-EN TROIS, PLEASE! J'AI DES CADEAUX À FAIRE.

UN POUR GINA ET UN POUR GINO.

D'ACCORD.

DIS-MOI, TU AS DÉJÀ UN PROGRAMME POUR DEMAIN?

J'AIMERAIS ACCOMPAGNER LES FILLES DANS LEUR RECHERCHE D'APPARTEMENT.

MAIS MON PLAN POUR MAINTENANT, C'EST MANGER! TU CROIS QU'ILS SERVENT DES SPAGHETTIS PAR ICI?

PEKING DUCK HOUSE

Since 1978
28 Mott Street

ENTRONS ICI, C'EST UN DES MEILLEURS RESTAURANTS DE CHINATOWN, PARAÎT-IL, MAIS CE N'EST PAS SÛR POUR LES SPAGHETTIS...

DE RETOUR À L'HÔTEL APRÈS UN REPAS COPIEUX.

C'ÉTAIT DÉLICIEUX. AU LIT, MAINTENANT! DANS QUEL QUARTIER VAS-TU DEMAIN AVEC LES FILLES?

EUH! À MANHATTAN... JE CROIS.

OK. JE NE SUIS PAS CERTAINE QUE J'AURAIS ACCEPTÉ SI TU M'AVAIS PARLÉ DU BRONX OU DE QUEENS.

JE SAIS. J'AI MENTI. MAIS J'AI TROP ENVIE D'Y ALLER.

# Jour 3 — 3 avril.

**PROGRAMME : CENTRAL PARK - MÉTRO - JUILLIARD SCHOOL - FLATIRON BUILDING - CHINATOWN**

La carte que m'a donnée le loueur de bicyclettes. →

CAROLINE, ASTRID ET MOI, ON EST PARTIES D'ICI.

Puis direction le château du Belvédère. On a pique-niqué au bord du lac au retour ! J'étais fatiguée. Six kilomètres à vélo quand même ! ☺

Il faudra que j'aille au ZOO la prochaine fois. Astrid m'a dit qu'il était génial.

MTA MetroCard

← Insert this way / This side facing you

J'ai vu le FLATIRON BUILDING. Un immeuble rigolo sur la 5e Avenue qui ressemble à un **fer à repasser.** C'est impressionnant et vraiment chill ! J'adore cet édifice.

Madison Square-Park

E-23rd-St

Flatiron Building

5th Ave

Broadway

Le bâtiment est construit au carrefour de la 23e Rue, de la 5e Avenue et de Broadway, en face de Madison Square.

CHINATOWN. UNE VILLE COMPLÈTEMENT CHINOISE DANS NEW YORK. C'est bizarre, il paraît que certains de ses habitants ne parlent même pas anglais !

PEKING DUCK HOUSE

NEW YORK en chinois

C'est le serveur du restaurant qui l'a écrit sur ma serviette, au restaurant. SURPRISE !

À la Duck House, j'ai mangé du canard laqué DÉLICIEUX, sa peau est luisante et hyper croustillante. Miam. J'ai même réussi à me servir des baguettes tout au long du repas !

4 AVRIL. UNE JOURNÉE DE FILLES, SANS MUSÉE !

BONJOUR, MADAME BÉRUBÉ. NOUS VENONS CHERCHER JULIETTE.

ELLE EST PRÊTE. SOYEZ PRUDENTES ET RENTREZ À 18 H.

NE CRAIGNEZ RIEN, NOUS VISITERONS JUSTE QUELQUES APPARTEMENTS.

SALUT, M'MAN ! ET RAPPORTE-MOI DES CARTES POSTALES DE TES VISITES.

BON, LES FILLES, ON N'A PAS LE TEMPS DE TRAÎNER. PREMIÈRE ÉTAPE : LE BRONX.

OUI, MON CAPITAINE !

EN ROUTE !

AU COIN DE LA 167E RUE ET DE JEROME AVENUE.

MAINTENANT, C'EST À 10 MINUTES À PIED DU MÉTRO.

HUM ! C'EST QUAND MÊME LOIN !

J'AIME PAS TROP CET ENDROIT.

ON Y EST PRESQUE, ALLONS JUSQU'AU BOUT.

MY FRIENDS AND I CAME TO SEE THE APARTMENT FOR RENT.*

COME WITH ME.

J'ESPÈRE QUE C'EST BIEN PARCE QUE CE N'EST PAS CHER !

MAIS ÇA A L'AIR SALE.

CRiii

DRIING

IL Y A UN... UN... UN RAT ! UN RAT, LÀ, DANS L'ÉVIER !

AAAAHHH !

* NOUS SOMMES ICI POUR L'APPARTEMENT.

UN JOUR, JE SERAI PLUS RICHE QUE JAY Z ET J'ÉPOUSERAI UNE JOLIE BLONDE, COMME TOI !

TU AS ENCORE DU CHEMIN À FAIRE, MON P'TIT VIEUX.

EH BIEN, SI ON VEUT VISITER TOUS CES APPARTEMENTS, IL VA FALLOIR Y ALLER.

FAITES QUAND MÊME ATTENTION DANS QUEENS. IL N'Y A PAS QUE DES GENTLEMEN, LÀ-BAS.

SI VOUS AVEZ BESOIN D'AIDE, N'HÉSITEZ PAS.

CIAO, BELLA ! TU ES TRÈS JOLIE.

QUOI ?

BYE !

BYE !

IL A UN DE CES CULOTS, LE FRÈRE DU PETIT TROY !

BON. IL NOUS RESTE ENCORE DEUX LOGEMENTS À VOIR ET ILS NE SONT PAS LA PORTE À CÔTÉ.

LE HIC, C'EST QUE L'UN EST À BROOKLYN ET L'AUTRE EST DANS QUEENS.

ON POURRAIT PEUT-ÊTRE SE SÉPARER ?

ÇA TE VA DE FAIRE UNE VISITE TOUTE SEULE, SI JE PRENDS JULIETTE AVEC MOI ?

MAIS OUI ! JE PEUX ALLER DANS QUEENS.

D'ACCORD. ALORS, ALLONS-Y !

ON SE RETROUVE À L'HÔTEL À 17 H ?

PLUTÔT 18 H, J'AIMERAIS FAIRE QUELQUES COURSES APRÈS LA VISITE, ÉTANT DONNÉ QUE DEMAIN, C'EST PÂQUES.

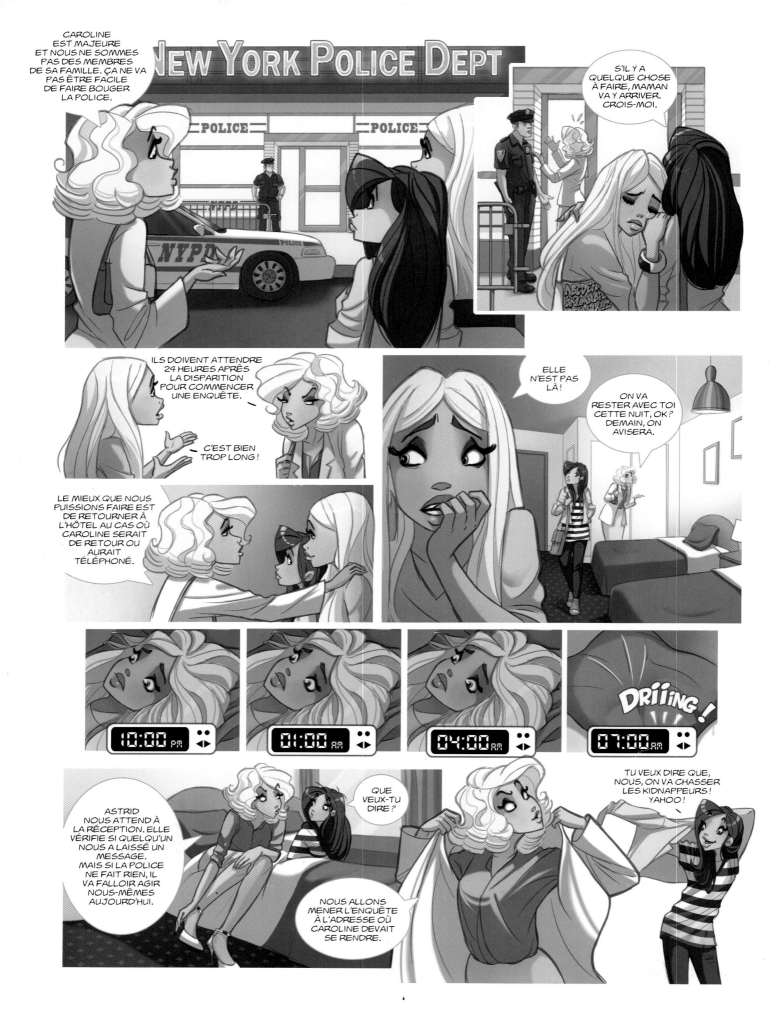

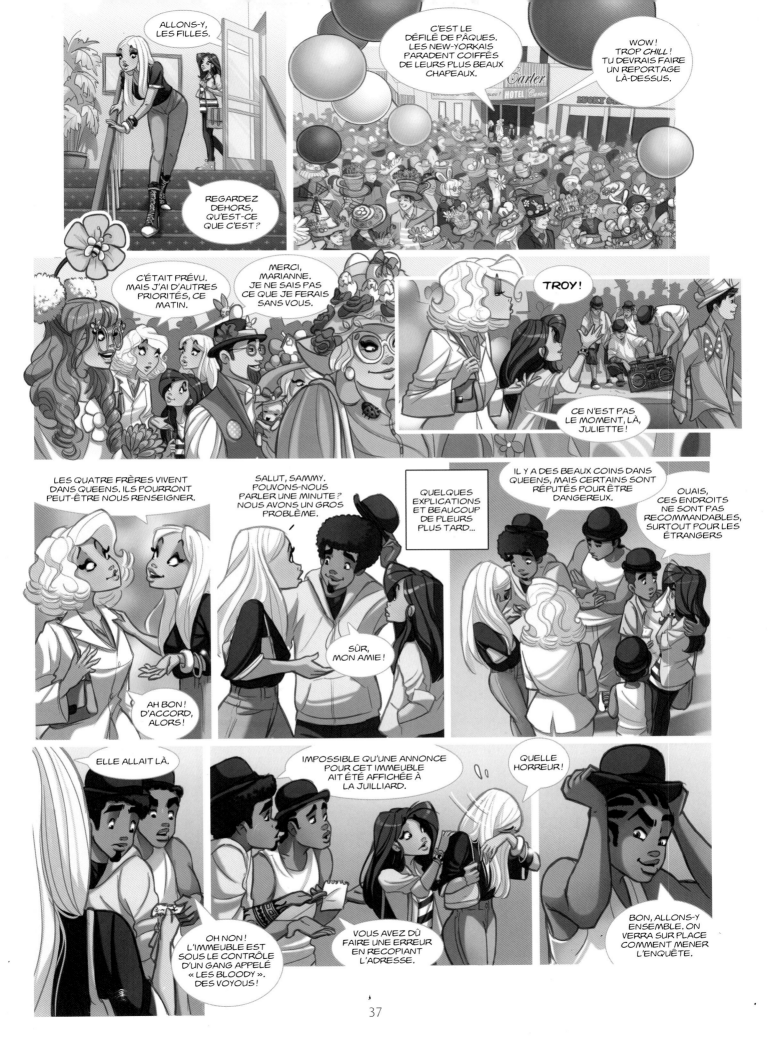

TROIS CHANGEMENTS DE MÉTRO ET 10 MINUTES DE MARCHE PLUS TARD.

MAINTENANT, QU'EST-CE QU'ON FAIT ?

ON VA CHEZ NOUS.

NE DEVRIONS-NOUS PAS PLUTÔT ALLER DIRECTEMENT VOIR LA POLICE ?

NON, PAS TOUT DE SUITE. VOUS SEREZ EN SÉCURITÉ, ICI. ENTREZ !

RAVIE DE FAIRE VOTRE CONNAISSANCE, MADAME.

TU AURAIS DÛ M'AVERTIR QUE TU AMENAIS DES VISITEURS !

GRANN, UNE DE LEURS AMIES A DISPARU DANS LE QUARTIER DES BLOODY.

ON VIENT LA CHERCHER.

CHEZ LES BLOODY ! CES SAUVAGES... QUEL MALHEUR !

ELLE EST EN DANGER ! OOOH !

ÇA VA MIEUX ?

BON, ON Y VA MAINTENANT.

IL FAUT REPÉRER LES LIEUX.

SANS VOULOIR ÊTRE IMPOLI, C'EST VOUS QU'ON VA VITE REPÉRER, MADAME BÉRUBÉ.

SI ON VEUT SAVOIR OÙ ELLE EST, ON DOIT ÊTRE DISCRETS.

JE VAIS PASSER QUELQUES COUPS DE FIL POUR ME RENSEIGNER.

DE VOTRE CÔTÉ, MADAME, APPELEZ AU POSTE DE POLICE QUE VOUS AVEZ CONTACTÉ HIER POUR DIRE QUE CAROLINE N'EST TOUJOURS PAS REVENUE.

*VA-T'EN.

42

FREEZE! HANDS UP!

NE BOUGEZ PAS, LES FILLES, ET LEVEZ LES MAINS.

PIN PON PIN PON PIN PON

CRiiiii

STAY HERE!

IL DIT DE RESTER ICI.

POURVU QU'ILS ARRIVENT À TEMPS

ON SE CROIRAIT DANS UN FILM.

ILS SONT VIVANTS!

MAIS OÙ EST CAROLINE?

CAROLIIIINE!

T'ONT-ILS FAIT DU MAL?

NON. ILS M'ONT JUSTE ENFERMÉE.

JE CROIS QUE J'AI DÛ ME TROMPER D'ADRESSE.

NON, C'EST MOI QUI L'AI MAL RECOPIÉE. JE SUIS SI DÉSOLÉE.

JE LES ENTENDAIS PARLER, ILS ESSAYAIENT DE ME VENDRE!

ON NE LES AURAIT PAS LAISSÉS FAIRE.

VOUS AVEZ ÉTÉ HÉROÏQUES, MERCI.

DE RIEN.

43

WE HAVE QUESTIONS TO ASK THEM. YOU'LL SEE THEM TOMORROW.

ILS DOIVENT NOUS POSER DES QUESTIONS.

IL DIT QU'ON SE VERRA DEMAIN.

À DEMAIN, BEAUTIFUL!

J'APPELLE GRANN POUR LUI EXPLIQUER ET ON RENTRE À L'HÔTEL, LES FILLES.

PAS D'APPARTEMENT ET UNE AMIE À L'HÔPITAL. JE CROIS QUE JE SUIS BONNE POUR RENTRER EN SUISSE.

A TERRIBLE ADVENTURE FOR A FRENCH GIRL IN QUEENS.

J'AI UNE IDÉE. RESTEZ ICI.

MAIS QU'EST-CE QU'ELLE FAIT?

JE SUIS SÛRE QU'ELLE RACONTE VOTRE HISTOIRE.

ELLE EST INCROYABLE. ELLE LANCE UN APPEL POUR NOUS PROCURER UN LOGEMENT.

SOURIS, ON EST FILMÉES.

44

JE VOUDRAIS REMERCIER MES HÉROS. VOUS M'AVEZ SAUVÉE !

ET NOUS, ON VA ALLER À LA JUILLIARD SCHOOL !

C'ÉTAIT COOL, CETTE BELLE SOIRÉE D'ADIEU.

ET AUSSI MARIANNE. GRÂCE À SON INTERVENTION, NOUS AVONS UN LOGEMENT.

NOUS, ON SE VOIT BIENTÔT.

PLUS TARD, DANS LA SOIRÉE.

AU REVOIR, MES AMIES. APPELEZ-MOI À QUÉBEC.

BON VOYAGE DE RETOUR, DEMAIN MATIN.

SÛR ! ON TE MONTRERA NOTRE APPARTEMENT SUR FACETIME.

SOUVIENS-TOI. SI TU AS BESOIN DE HÉROS, ON SERA TOUJOURS LÀ POUR TOI.

SNIF ! POURQUOI DOIS-JE DÉJÀ DIRE ADIEU À DES GENS À QUI JE ME SUIS ATTACHÉE ?

C'EST LA DURE RÉALITÉ DE TOUS LES PASSIONNÉS DE VOYAGE.

ALORS, JE DÉTESTE VOYAGER !

OUI, MAIS EN ATTENDANT, ÇA FAIT VRAIMENT MAL !

ALLEZ, VIENS LÀ. JE TE COMPRENDS. MOI AUSSI, J'AI PLEURÉ EN QUITTANT TROY ET GRANN.

NE DIS PAS ÇA. IL EST TRÈS POSSIBLE QUE TU LES REVOIES UN JOUR, TU SAIS.

OH, TROY ! JE NE LUI AI MÊME PAS FAIT UN DERNIER CÂLIN.

NOUS L'APPELLERONS DEMAIN. LÀ, VA VITE TE COUCHER, PUCETTE.

47